Los Trotamundos 1

Curso de Español para niños y niñas

Fernando Marín Arrese

Reyes Morales Gálvez

edelsa
GRUPO DIDASCALIA, S.A.
Plaza Ciudad de Salta, 3 - 28043 MADRID - (ESPAÑA)
TEL.: (34) 914.165.511 - FAX: (34) 914.165.411

Dirección y coordinación editorial: Departamento de Edición de Edelsa.
Diseño de cubierta, maquetación y fotocomposición: Quatro Comunicación, S. L.
Fotomecánica: FCM, S.L.
Imprenta: Peñalara, S. A.
Encuadernación: Perellón, S. A.

Fotografías: Brotons (pág. 26), Laura Madera (pág. 62).

Impreso en España
Printed in Spain

ISBN: 84-7711-205-3   Depósito legal: M-42554-2005
Primera edición: 1998
Primera reimpresión: 1998
Segunda reimpresión: 1999
Tercera reimpresión: 2000
Cuarta reimpresión: 2005

Presentación

Los Trotamundos 1 tiene
12 Unidades

Cada unidad tiene
2 lecciones
(de 2 páginas cada una)
+ 2 páginas de juegos, canciones
y episodios del cómic

EL MISTERIO
DE LA PIRÁMIDE

Cada lección tiene
2 partes:
en la primera está
lo nuevo que se
va a aprender.
Por ejemplo:

En la segunda parte
de la lección,
a partir de
¡EN MARCHA!
hay ejercicios y
actividades de
explotación para
hacer uno solo, en
parejas o en grupos.
Por ejemplo:

Los juegos, las canciones y el cómic del final de la Unidad sirven
para fijar lo aprendido... y para divertirse, claro.
No olvides que con nosotros podrás cantar y bailar con el **Karaoke**

3

Los Trotamundos 1

ÍNDICE

1. Algunas de estas cosas las puedes ver en países donde se habla español. ¿Cuáles? ¿Sabes en qué países? Fíjate en las palabras del recuadro.

1

2

3

4

5

6

7

8

9

10

Béisbol

Semana Santa

Mariachi

Estatua de la Libertad

Pizza

Puma

Abanico

Guitarra

Loro

Pirámide

2.  **PALABRAS, PALABRAS**

Escucha. Todas estas palabras son españolas. ¿Cuántas conoces?

fiesta	¡adiós!	amigo	por favor	iguana
¡viva!	señorita	amor	patata	café

¿Sabes alguna otra palabra española?

3. En grupos, escribimos palabras en español. ¡A ver qué grupo reúne más!

4. LAS LETRAS

Este es el alfabeto español. Fíjate. Compáralo con el alfabeto de tu lengua.

A a	B be	C ce	CH che	D de	E e	F efe	G ge	H hache	I i
J jota	K ka	L ele	LL elle	M eme	N ene	Ñ eñe	O o	P pe	Q cu
R erre	S ese	T te	U u	V uve	W uve doble	X equis	Y i griega	Z zeta	

5.

Vas a escuchar palabras que contienen algunos sonidos característicos del español. Intenta repetirlas. ¿Existen estos sonidos, o alguno parecido, en tu lengua?

6. LOS SÍMBOLOS

En el libro vas a encontrar estos símbolos. Relaciónalos con las instrucciones.

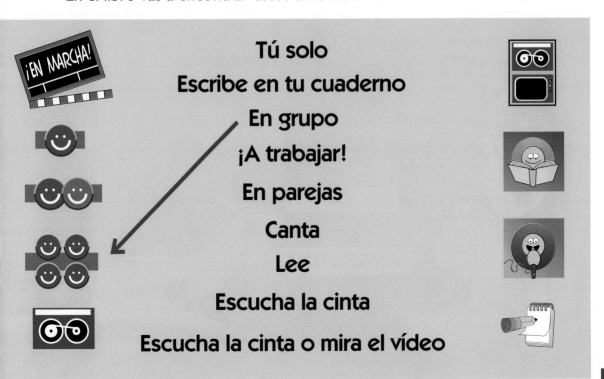

¡EN MARCHA!

Tú solo

Escribe en tu cuaderno

En grupo

¡A trabajar!

En parejas

Canta

Lee

Escucha la cinta

Escucha la cinta o mira el vídeo

Los Trotamundos

MÉXICO

JULIA

CHAMÁN

MAURO

BRASIL

CARLOS

ARGENTINA

8

DE LA PIRÁMIDE

ESPAÑA

PALOMA

Acompáñanos en nuestra aventura.
Ayúdanos a descubrir

EL MISTERIO DE LA PIRÁMIDE
a lo largo del libro

¡Hola, amigos!

 Observa.

me llamo
te llamas

  Escucha y repite en voz alta.

Eva: ¡Hola! ¿Cómo te llamas?
Antonio: Me llamo Antonio. ¿Y tú?
Eva: Me llamo Eva.

 Y ahora nos presentamos por parejas.

1. EL PRIMER DÍA DE CLASE

  Escucha y lee.

2. Completamos el diálogo.

3. Escucha y repite los saludos.

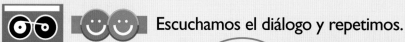
¿De dónde eres?

Escuchamos el diálogo y repetimos.

Y tú ¿de dónde eres?

¿De dónde eres?
Soy de...

1. Une los países con las banderas.

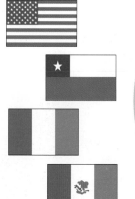

FRANCIA

CHILE

ESPAÑA

BRASIL

MÉXICO

ESTADOS UNIDOS

ITALIA

JAPÓN

2. ¿Qué dicen nuestros amigos Los Trotamundos?

  Completa.

3. ¡Ahora tú otra vez! ¿Cómo te llamas y de dónde eres?

El juego del personaje

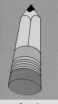
Lápiz

tijeras

papel

caja

NECESITAMOS

1.

ESPAÑOLES		NO ESPAÑOLES	
Nombres	Apellidos	Nombres	Apellidos
Laura	Allende	Harrison	Higgins
Óscar	Mendoza	Cristina	Fard
Alicia	Jiménez	Chelsea	Costny
María	Castro	Sylvester	Clint
Alberto	García	Kevin	Ballone

EJEMPLO

- ¡Hola! Me llamo Cristina Higgins.
- Soy de Suiza. Y tú ¿cómo te llamas?

- ¿De dónde eres?
- Yo me llamo Sylvester Ballone. Soy de América.

2.

Nombre	Apellido
Sylvester	Ballone

3.

Nombre	Apellido
Sylvester	Ballone

4.

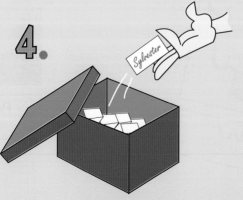

5.

¿CÓMO TE LLAMAS?

ME LLAMO CRISTINA

NO, YO ME LLAMO CRISTINA

Cristina

Higgins

BIEN HECHO

6.  **¡A JUGAR!**

Tu profesor te dirá cómo se juega

Los números

  Escucha y observa.

 "3...2...1... ¡CERO!"

cero

un helado

 **una flor**

uno

dos

tres

4 **cuatro**

5 **cinco**

seis

siete

8 **ocho**

nueve **9**

diez **10**

 ¡EN MARCHA!

1.

Canta el comienzo del "mambo".

CANCIÓN 1

Uno...dos...tres...cuatro...
cinco...seis...siete...
ocho...nueve....diez....

¡MAAAMBO!

unidad 2

2. Escucha el número de teléfono de Luisa.

LUISA, ¿CUÁL ES TU NÚMERO DE TELÉFONO?

MI TELÉFONO ES EL ....

3. ¿Y cuál es tu número de teléfono?

4. Pregunta a tus compañeros su número y haz un listín de teléfonos.

NOMBRE	TELÉFONO	EDAD
Silvia Ortiz	91 538 46 71	
Luis Calle	91 314 16 11	

¡**Atención!** Comprueba que es correcto:

Inés: Repito: Nueve-uno-tres....
Luis: Sí, vale, está bien.

5. Ahora escucha y repite los números del 11 al 20

-ce:
once **11** doce **12** trece **13**
catorce **14** quince **15**

dieci-:
dieciséis **16** diecisiete **17**
dieciocho **18** diecinueve **19**

6. LA EDAD

 ¿Cuántos años tiene Paloma?

PALOMA, ¿CUÁNTOS AÑOS TIENES?

TENGO .... AÑOS. ¿Y TÚ?

MUCHOS, MI NIÑA, MUCHOS

7. Pregunta a tus compañeros cuántos años tienen y apunta su edad en tu listín de teléfonos.

¡A contar!

😊 Fíjate en la clase de Marta.

 ¡EN MARCHA!

1. 😊 ¿Reconoces estas siluetas?
Di el número y el nombre.

6. el profesor

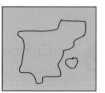

6 el profesor
9 la pizarra
3 el mapa
5 el reloj
4 la planta
7 el libro
2 la mesa
8 el alumno
1 la ventana
10 la silla

2. 😊 **¡A CONTAR!**

¿Cuántas plantas?   ¿Cuántos libros?
¿Cuántas ventanas?   ¿Cuántos alumnos?
¿Cuántas sillas?   ¿Cuántos mapas?

¿Cuántos...?	¿Cuántas...?
chicos	chicas
libros	gomas
juegos	plantas

Ejemplo: Tres plantas.

d o s 2 2 2 2 2

 unidad 2

3. Divide las palabras en dos grupos.

UN	UNA
un libro	una pizarra
…	…

CANCIÓN 2

Un limón y medio limón,
dos limones y medio limón,
tres limones y medio limón,
cuatro limones y medio limón
cinco limones y medio limón,
seis limones y medio limón,
siete limones y medio limón,
ocho limones y medio limón

4. **¡A CANTAR!**

Escucha la canción del "Medio limón".
Parece fácil, pero...
¿puedes cantarla deprisa?

5. **¡A CONTAR OTRA VEZ!**

A cuenta los bolígrafos, las gomas y los lápices.
B cuenta los libros, los vídeos y los tebeos.

Bolis	2	Libros		Gomas		Vídeos	

Tebeos		Lápices	

B: ¿Cuántos "bolis" tienes?
A: Tengo dos "bolis".
    Y tú ¿cuántos libros tienes?
B: Tengo dieciséis.

¡Bingo!

cartulina

botones

1.

2.

3.

4.
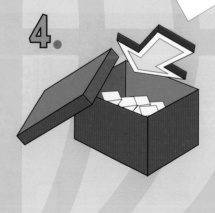

5. ¡Biiiiingoooo!

BIEN HECHO

6. ¡A JUGAR!

Tu profesor te dirá cómo se juega

CANCIÓN 3

Un elefante...

 Un elefante...se balanceaba...sobre la tela de una araña...
y como veía...que no se caía... fue a llamar a otro elefante...

 Dos elefantes...se balanceaban...sobre la tela de una araña...
y como veían...que no se caían... fueron a llamar a otro elefante...

Tres elefantes...se balanceaban...sobre la tela de una araña...
y como veían...que no se caían... fueron a llamar a otro elefante...

Presentaciones

 Escucha y repite.

ÉSTE ES MANUEL. ES DE COLOMBIA. TIENE DOCE AÑOS.

ÉSTA ES CARMEN. ES DE VENEZUELA. TIENE ONCE AÑOS.

 VENEZUELA

COLOMBIA

	ser	tener
yo	soy	tengo
tú	eres	tienes
él/ella	es	tiene

PERÚ

éste es ...
ésta es ...

URUGUAY

MARISOL

RAMÓN

NOMBRE	NACIONALIDAD	EDAD
RAMÓN	URUGUAYO	10
MARISOL	PERUANA	13

 Presenta tú a Marisol y a Ramón.

1. Escucha a Rafa cómo presenta a Pili y a Mónica.

¡HOLA PILI!

PILI, ÉSTA ES MÓNICA. MÓNICA, ÉSTA ES PILI.

¡HOLA MÓNICA!

2. Ahora nos presentamos nosotros/as.

3. LA FAMILIA DE CARLOS

¿Cómo se llama la familia de Carlos?

padre

madre

hermano

hermana

ÉSTA ES MI HERMANA ALICIA

4. Ahora tú eres Carlos. Repite la presentación de la familia.

5. Trae una foto de tu familia y preséntala a la clase.

Descripciones

 Escucha.

¿Cómo es Don Quijote?
Es **alt**o y **delgad**o.

¿Cómo es Dulcinea?
Es **rubi**a.

¿Cómo es Sancho Panza?
Es **baj**o y **gord**o.

un chico	
alto	**baj**o
delgado	**gord**o
moreno	**rubi**o

una chica	
alta	**baj**a
delgada	**gord**a
morena	**rubi**a

 Describe tú también a Dulcinea, Don Quijote y Sancho Panza.

1.  Describe a tu compañero/a.

2.

A pregunta cómo es y cuántos años tiene uno de estos amigos.
B lo describe. Luego cambian.

| **Cristina** 8 | **David** 11 | **Lola** 12 | **Pablo** 10 |

¿Cómo es Lola? Es alta. - ¿Cuántos años tiene? Tiene 12 años.

3. EL JUEGO DE LAS DIEZ PREGUNTAS

Un jugador piensa en alguien de la clase. Los demás intentan adivinar con preguntas.

¡A JUGAR!

Viajamos por España

reloj de arena

SANTIAGO
La Catedral
Lola
12 años

BARCELONA
La Sagrada Familia
David
11 años

MADRID
La Puerta de Alcalá
Pablo
10 años

Islas Baleares

PALMA DE MALLORCA
El Castillo de Bellver
Esther
13 años

TENERIFE
El volcán Teide
Mónica
9 años

GRANADA
La Alhambra
Cristina
8 años

Islas Canarias

El volcán Teide

EJEMPLO		
PREGUNTA	**RESPUESTA**	**PUNTOS**
¿De dónde es Cristina?	De Granada	1
¿Cuántos años tiene Esther?	Trece	1
¿Qué monumento está en Granada?	La Alhambra	3
¿Cómo es Lola?	Delgada, morena y alta	2

El Castillo de Bellver

La Catedral

La Sagrada Familia

La Alhambra

La Puerta de Alcalá

¡A JUGAR!

Tu profesor te dir
cómo se jueg

ESTA ES MI CORONA

ESTE ES MI ANILLO

ESTE ES MI BASTÓN

ESTAS SON MIS SANDALIAS

ESTE ES MI TESORO. SON OBJETOS PODEROSOS, MÁGICOS

¡OOH!

¡MIRA! ESTA ES MI HISTORIA

1050

GUARDARÉ MIS TESOROS EN LA PIRÁMIDE

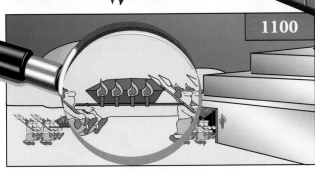

1100

1800

1850

1920

ANILLO MAYA

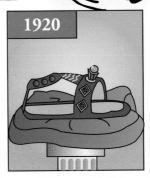

1920

1957

CONTINUARÁ...

27

Las profesiones

Escucha y repite en voz alta.

ES PERIODISTA

EVA ¿QUÉ ES TU PADRE?

¿Y TU MADRE?

ES DOCTORA

Observa. ¿Qué son estos niños?

Y TÚ, ¿QUÉ ERES?

Y TÚ, ¿QUÉ ERES?

Y TÚ, ¿QUÉ ERES?

profesor	profesora	cantante
jugador	jugadora	deportista
arquitecto	arquitecta	periodista
veterinario	veterinaria	artista
empleado	empleada	policía

unidad 4

EN MARCHA!

1.

Primero **A** pregunta por la profesión de una de estas personas. **B** responde. Luego pregunta **B**.

FERNANDO   LUISA   LINA   JESÚS

2. Preguntamos por la profesión de nuestros padres, como en el ejemplo.

> **A:** ¿Qué es tu madre?
> **B:** Veterinaria.
> **A:** ¿Y tu padre?
> **B:** Es empleado de un banco.

Ahora pregunta **B**.

3. EL JUEGO DE LA MÍMICA

Uno actúa. Los demás tratan de adivinar.

El que acierta debe imitar otra profesión.

¿PERIODISTA? ¿DETECTIVE?

GANA LUIS.

Los colores

Escucha y repite.

ANA, ¡TENGO UN GATO!

ES BLANCO Y NEGRO.

¿DE QUÉ COLOR ES?

¡QUÉ BONITO!

Observa.

El semáforo — Rojo / Amarillo / Verde

El rey **Negro**

La reina

La naranja **Naranja**

La flor **Rosa**

El barco **Marrón**

La vela **Blanca**

El ratón **Gris**

El mar **Azul**

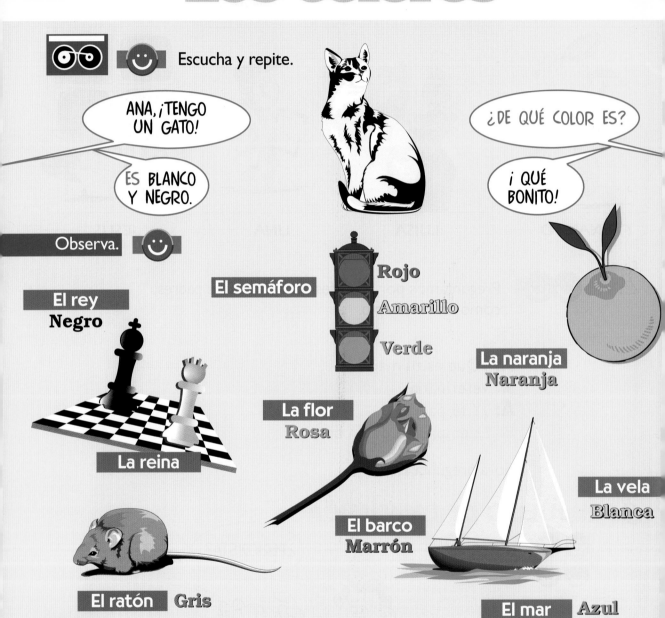

 ¡EN MARCHA!

1. Preguntamos.

A: ¿De qué color es el corazón?
B: Es rojo

La reina

El sol

El ciervo

2. Responde como en el ejemplo.

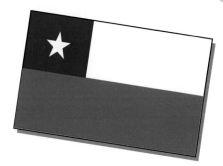

> ¿De qué color es
> la bandera de Chile?
> Es roja, azul y blanca.

¿De qué color es la bandera de tu país? Dibújala.

 La bandera de.....................es...........................

3. ¿Qué otras banderas conoces?

4. ¿De qué color son la camiseta y el pantalón de tu equipo?

> La camiseta es azul y
> el pantalón negro.

**La camiseta es............... y
el pantalón es...................**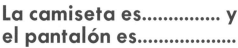

5. EL JUEGO DE LAS PREGUNTAS

 Por equipos preparamos 10 preguntas sobre los colores de objetos muy conocidos.

¿De qué color es el chocolate?

¿Y la fresa?

El chocolate

La fresa

Proyecto 1

Los Trotamundos

Mural de personajes preferidos de la clase

1. Por equipos. Pensamos en nuestro personaje preferido:
cantante, deportista, actor, actriz ....

Michael Jordan /////
Spice Girls ///
Peter Pan /////

2. Encuesta a la clase.

EJEMPLO DE PREGUNTA ¿Cuál es tu cantante preferido?

3. Leemos las respuestas. Elegimos los personajes. Buscamos **fotos. B**uscamos datos.

4. Hacemos el mural. Elegimos medida, forma y colores.

SPICE GIRLS

CANCIÓN 4

Me pongo de pie...

Me pongo de pie,
me pongo de pie,
me vuelvo a sentar,
me vuelvo a sentar,
porque a los oficios
vamos a jugar.

ESTRIBILLO

Había una vez un niño peluquero,
que cortaba con tijeras
y peinaba muchos pelos.

ESTRIBILLO

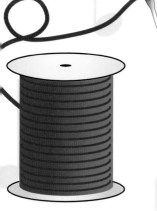

Había una vez dos niñas costureras,
que cosían y bordaban
bajo un sol de primavera.

ESTRIBILLO

Había una vez un niño camionero
transportando toneladas
de cariño al mundo entero.

ESTRIBILLO

La dirección

  Escucha y repite.

¿DÓNDE VIVES?

¿CUÁL ES TU DIRECCIÓN?

VIVO EN BARCELONA.

VIVO EN LA CALLE CASPE NÚMERO 38.

 ¡EN MARCHA!

1.  *A* pregunta a *B* cómo se llama y dónde vive. *B* responde. Luego cambiamos.

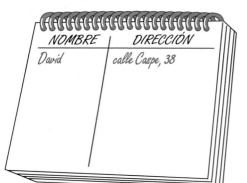

NOMBRE	DIRECCIÓN
David	calle Caspe, 38

2. Ahora pasa a tu agenda de teléfonos las direcciones de varios amigos de tu clase.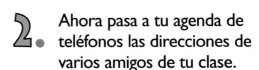

3.  Imaginamos que somos alguno de estos chicos y chicas y preguntamos el nombre y la dirección.

InfoRed Charla

A.- Nº16: CHILE *¿Cómo te llamas?*
Me llamo Ignacio
¿Dónde vives?
Vivo en Santiago
¿Cuál es tu dirección?
Calle Luz, 146

B.- Nº19: ESPAÑA
Y tú ¿cómo te llamas?
Me llamo Paloma

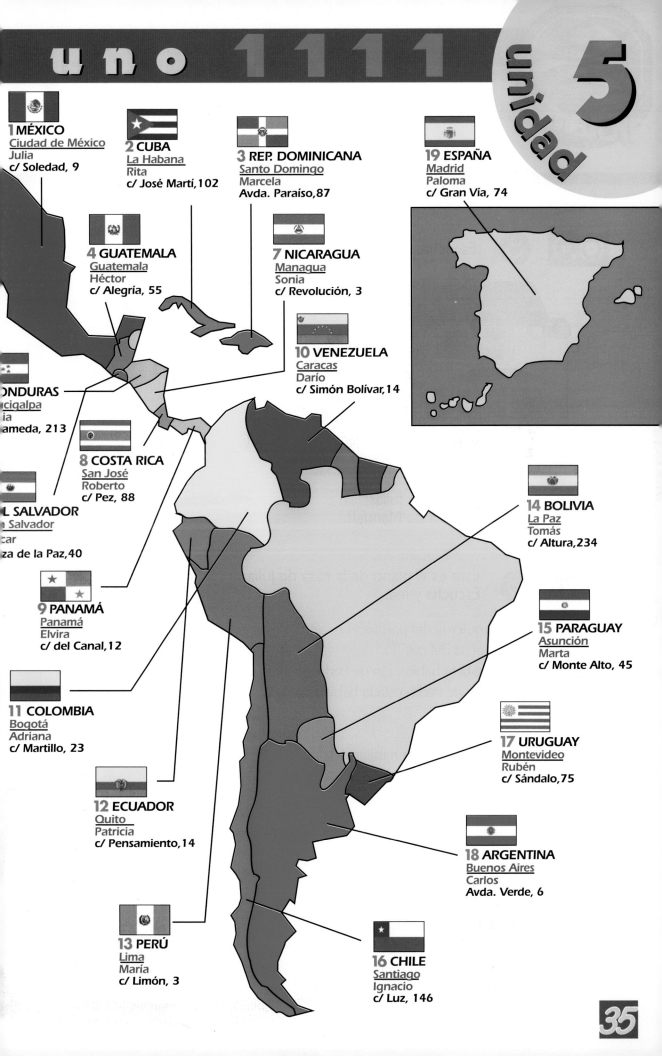

1 MÉXICO
Ciudad de México
Julia
c/ Soledad, 9

2 CUBA
La Habana
Rita
c/ José Martí,102

3 REP. DOMINICANA
Santo Domingo
Marcela
Avda. Paraíso,87

19 ESPAÑA
Madrid
Paloma
c/ Gran Vía, 74

4 GUATEMALA
Guatemala
Héctor
c/ Alegría, 55

7 NICARAGUA
Managua
Sonia
c/ Revolución, 3

10 VENEZUELA
Caracas
Darío
c/ Simón Bolívar,14

ONDURAS
cigalpa
ia
ameda, 213

8 COSTA RICA
San José
Roberto
c/ Pez, 88

14 BOLIVIA
La Paz
Tomás
c/ Altura,234

L SALVADOR
Salvador
car
za de la Paz,40

9 PANAMÁ
Panamá
Elvira
c/ del Canal,12

15 PARAGUAY
Asunción
Marta
c/ Monte Alto, 45

11 COLOMBIA
Bogotá
Adriana
c/ Martillo, 23

17 URUGUAY
Montevideo
Rubén
c/ Sándalo,75

12 ECUADOR
Quito
Patricia
c/ Pensamiento,14

18 ARGENTINA
Buenos Aires
Carlos
Avda. Verde, 6

13 PERÚ
Lima
María
c/ Limón, 3

16 CHILE
Santiago
Ignacio
c/ Luz, 146

La casa

  Escucha.

A

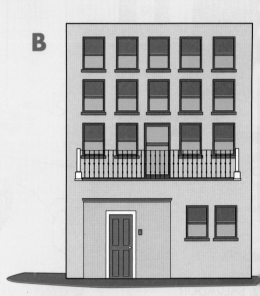

B

 ¿Cuál es la casa de Julia?
¿Cuál es la casa de Manuel?

Este es el plano de la casa de Julia.
Escucha y lee.

La cocina está a la izquierda del pasillo. El cuarto
de baño está a la derecha del pasillo.
Al lado de la cocina está la habitación de Pedro y
al lado de la habitación de Pedro está la habitación
de Julia.
Al fondo del pasillo está el salón.
Al lado del cuarto de baño está la habitación de
los padres.
El salón está entre la habitación de Julia y la
habitación de los padres.

| al fondo del |
| al lado de |
| a la derecha de |
| a la izquierda de |
| entre |

1. Mira el plano de la casa de Julia y completa.

La habitación de Pedro está .... la cocina y la habitación de Julia.

El salón está .... pasillo.

La habitación de los padres está .... pasillo.

2.

Copiamos el plano de la casa de Julia y cambiamos el lugar de las habitaciones. *B* pregunta dónde están algunas habitaciones.

3. ¿DÓNDE ESTÁS?

A adivina en qué habitación está *B* por sus gestos. Luego cambian.

4. Relaciona los objetos y los lugares.

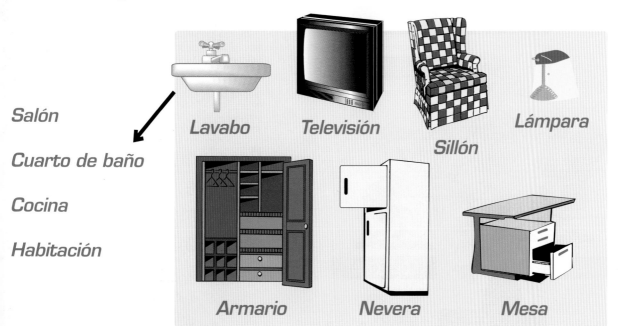

Salón

Cuarto de baño

Cocina

Habitación

Lavabo   Televisión   Sillón   Lámpara

Armario   Nevera   Mesa

CANTAMOS Y BAILAMOS CON

CANCIÓN 5

La Yenka

Vamos, chicos,
vamos, chicas a bailar,
vamos todos juntos,
vamos a bailar.
Esto es muy fácil
y lo hacemos así.
Esta es la yenka
que se baila así.

BIS ▶ Izquierda, izquierda
derecha, derecha,
delante, detrás,
un, dos, tres.

DETRÁS

IZQUIERDA

DERECHA

DELANTE

CANCIÓN 6

¿Dónde están las llaves?

Yo tengo un castillo,
matarile, rile, rile.
Yo tengo un castillo,
matarile, rile, ron, chin, pon.

¿Dónde están las llaves?,
matarile, rile, rile.
¿Dónde están las llaves?,
matarile, rile, ron, chin, pon.

En el fondo del mar,
matarile, rile, rile.
En el fondo del mar,
matarile, rile, ron, chin, pon.

¿Y quién va a buscarlas?,
matarile, rile, rile.
¿Y quién va a buscarlas?,
matarile, rile, ron, chin, pon.

Por ejemplo, Luis Alberto,
matarile, rile, rile.
Por ejemplo, Mari Carmen,
matarile, rile, ron, chin, pon.

38

JAJAJA

UN HOMBRE MALO BUSCA MIS OBJETOS MÁGICOS. CON ELLOS PUEDE HACER MUCHO MAL

¡OOH!

TÚ DEBES ENCONTRARLOS ANTES QUE ÉL

¿YO SOLA? ¿DÓNDE ESTÁN ESOS OBJETOS?

NECESITAS A TUS AMIGOS. BÚSCALOS...

BÚSCALOS...

AMIGOS

Nombre	Dirección
Mensaje urgente para:	
Carlos	Avenida Verde, 6 Buenos Aires, Argentina
Julia	Calle Soledad, 9 México D.F., México
Mauro	Vía Mayor, 14 Brasilia, Brasil

Asunto: EL MISTERIO DE LA PIRÁMIDE   ENVIAR

Buscar objetos mágicos de Chamán.

Respuestas	
Para Paloma	
Carlos	¡Cuenta conmigo!
Julia	¡Y conmigo!
Mauro	¿Dónde buscamos?

Asunto: EL MISTERIO DE LA PIRÁMIDE

Buscar objetos mágicos de Chamán.

CONTINUARÁ...

La hora

 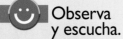 Observa y escucha.

¿Qué hora es?
¡Son las doce en punto!
¡Feliz Año Nuevo!

Es la una.
Son las doce.

 ¡EN MARCHA!

1. Observa, escucha y repite. ¿Qué hora es?

A	B	C	D	E

Es la una y cuarto · Es la una y media · Es la una menos cuarto · Es la una y veinte · Es la una menos veinticinco

2. Repasa los números del 1 al 20.

3. Escucha y repite.

veinte	**20**	sesenta	**60**
treinta	**30**	setenta	**70**
cuarenta	**40**	ochenta	**80**
cincuenta	**50**	noventa	**90**

Mira estos ejemplos.

| vein**ti**uno | **21** | vein**ti**cuatro | **24** |

Del **20** al **29** **veinti...**

| treinta **y** uno | **31** | cincuenta **y** cuatro | **54** |

Del **30** al **99** treinta/cuarenta/etc. **y ...**

4.   ¿Qué números son estos?

| veintiocho | treinta y dos | cuarenta y siete | setenta y tres | noventa y nueve |

5. Ahora escribe estos números.

51 **23** **65** **84** **90**

6. Escucha y di qué número oyes para cada letra.

a	b	c	d	e

7. ¡A CANTAR!

Escucha y canta la canción "Dos y dos son cuatro"

CANCIÓN 7

Dos y dos son cuatro,
cuatro y dos son seis,
seis y dos son ocho,
y ocho dieciséis,
y ocho veinticuatro,
y ocho treinta y dos,
y ocho son cuarenta
y ahora sigues tú.

8. Di la hora.

1 Son las tres menos veinticinco
7 Son las catorce cero cinco

9.

A marca dos horas y pregunta a *B*.
B responde, luego cambian.

Las costumbres

 Lee el cómic.

21:00

Me levanto a las nueve de la noche.

VAMPIRITO

22:00

Desayuno a las diez de la noche.

00:00 COLEGIO

A las doce voy al colegio.

03:00

mmm !

Como a las tres de la mañana.

06:00

Vuelvo a casa a las seis de la mañana.

10:00

TV VAMP

Ceno, veo la tele y me acuesto a las diez de la mañana.

¿Cuándo?

por la mañana
por la tarde
por la noche

El verbo	Yo	Tú	Él/Ella
levantarse	me levanto	te levantas	se levanta
acostarse	me acuesto	te acuestas	se acuesta
desayunar	desayuno	desayunas	desayuna
cenar	ceno	cenas	cena
comer	como	comes	come
volver	vuelvo	vuelves	vuelve
ver	veo	ves	ve
ir	voy	vas	va

1.   Responde

- ¿A qué hora se acuesta Vampirito?
- ¿A qué hora se levanta?
- ¿A qué hora va al colegio?
- ¿A qué hora vuelve del colegio?

- ¿A qué hora desayuna?
- ¿A qué hora come?
- ¿A qué hora cena?

2.

Hablamos de nuestras costumbres.

A: ¿A qué hora te acuestas?
B: A las diez de la noche.

3.

¡Apunta la hora de tus programas deportivos preferidos!
Escucha y pon las cruces que faltan.

HORA	03:30 p.m.	05:15 p.m.	07:00 p.m.	07:30 p.m.
ciclismo				
fútbol	X			
baloncesto				
tenis				

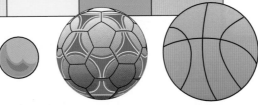

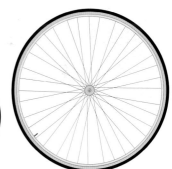

4. **UN DÍA EN LA VIDA DE...**

Por grupos, elegimos un personaje y describimos un día de su vida.
El resto de la clase tiene que adivinar quién es. Pueden hacer preguntas.

¿A qué hora come?
A las doce de la mañana.

El juego de los relojes

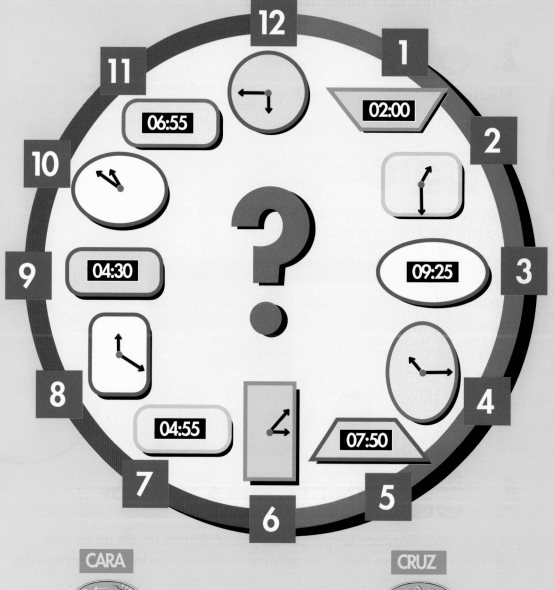

12

11

1   02:00

10   06:55

?

2

9   04:30   09:25   3

8

7   04:55   07:50   4

6   5

CARA

1 casilla

CRUZ

2 casillas

¡A JUGAR!   *Tu profesor te dirá cómo se juega*

El laberinto de los números

UNO	noventa	ochenta y nueve	ochenta y ocho	ochenta y siete	ochenta y cuatro	ochenta y cinco	cincuenta y siete	sesenta y siete	sesenta y seis
CIEN	dos	noventa y uno	noventa y dos	ochenta y tres	ochenta y seis	cincuenta y seis	sesenta y ocho	cincuenta y ocho	sesenta y cinco
noventa y nueve	tres	noventa y cinco	noventa y tres	ochenta y dos	cincuenta y cuatro	cincuenta y cinco	sesenta y nueve	sesenta y cuatro	cincuenta y nueve
noventa y ocho	noventa y seis	cuatro	noventa y cuatro	ochenta y uno	cincuenta y tres	setenta y uno	setenta	sesenta y tres	sesenta
noventa y siete	cuarenta y nueve	cincuenta	cinco	cincuenta y dos	ochenta	setenta y tres	setenta y dos	sesenta y dos	sesenta y uno
cuarenta y ocho	cuarenta y siete	seis	cincuenta y uno	setenta y nueve	setenta y ocho	setenta y siete	setenta y cuatro	veinticinco	veinticuatro
cuarenta y seis	siete	ocho	treinta y dos	treinta y uno	treinta	setenta y cinco	setenta y seis	veintiséis	veintitrés
cuarenta y cinco	cuarenta y cuatro	treinta y tres	nueve	diez	once	veintinueve	veintisiete	veintiuno	veintidós
cuarenta y tres	treinta y nueve	treinta y ocho	treinta y cuatro	treinta y seis	doce	veintiocho	veinte	dieciséis	diecisiete
cuarenta y dos	cuarenta y uno	cuarenta	treinta y siete	treinta y cinco	trece	catorce	quince	diecinueve	dieciocho

NECESITAMOS dados

¡A JUGAR!

Tu profesor te dirá cómo se juega

¿Quieres un bocadillo?

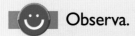 Observa.

  Escucha y repite.

 Repetimos los diálogos.

¿Quieres?	Sí, gracias / Sí, por favor / Sí vale
	No, gracias.

Tengo hambre	¿Quieres...? ¿Qué quieres?	...un bocadillo de jamón o de queso? ...un helado de chocolate o de fresa? ...una pizza? ...una hamburguesa?
Tengo sed		...un refresco de naranja, de limón o de cola? ...un vaso de agua? ...una botella de agua?

1. En parejas, miramos el puesto y hablamos sobre lo que queremos.

Por ejemplo: **A:** ¿Quieres un helado de fresa?
B: No, un helado de limón, por favor. / Sí, gracias.

hamburguesas — pizza — bocadillos de jamón o queso

HELADOS — NARANJA — COLA — LIMÓN

2. ¿Cuántas combinaciones (¡normales!) podemos hacer?

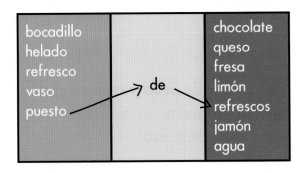

bocadillo helado refresco vaso puesto	de	chocolate queso fresa limón refrescos jamón agua

¿Cuánto es?

 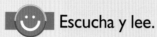 Escucha y lee.

¿Cuánto es?
Es un peso.
Son trece pesos.

1.

En parejas. Cambiamos de papel y representamos otro diálogo.
A el camarero / la camarera
B quiere un bocadillo de queso.

48

2. ¿Dónde puedes comprar / tomar estas cosas?

a	Un helado	En un puesto de refrescos	1
b	Una chocolatina	En un supermercado	2
c	Una naranjada	En una cafetería	3
d	Un bocadillo	En un puesto de golosinas	4
e	Un paquete de cereales	En una heladería	5

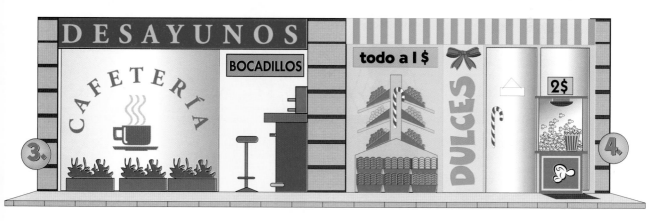

El precio exacto

Helado de yogur

patatas y cola

caja de palomitas

POR 50 PUNTOS, ¿EL PRECIO EXACTO DE UNA BOTELLA DE ZUMO?

3 PESOS CON 60.

4 PESOS.

EL PRECIO EXACTO ES...¡4 PESOS! GANA EL CONCURSANTE NÚMERO 3.

3 PESOS CON 50.

¡A JUGAR!   Tu profesor te dirá cómo se juega

EL MISTERIO
DE LA PIRÁMIDE

Guías del Museo
100 $ pesos

INSCRIPCIONES MAYAS ANTIGUAS. ¡AQUÍ ESTÁ!

MUSEO NACIONAL DE ANTROPOLOGÍA

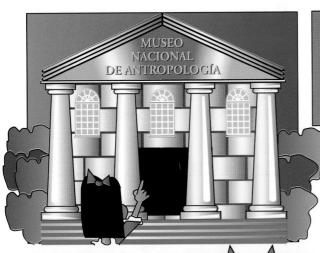

¡SON LAS SANDALIAS DE CHAMÁN!

UN JAGUAR...DOS PIRÁMIDES... ¡VOY A PALENQUE!

Restos cerámica MAYA
Palenque Siglos X-XII

BRRR

¿DÓNDE ESTÁ?, ¿DÓNDE ESTÁ...?

NO QUIERO ROBAR, PERO... ¡ESTO ES IMPORTANTE!

¡EUREKA! ¡ LO ENCONTRÉ!

CONTINUARÁ...

Los días de la semana

1. Hoy es domingo. Raúl consulta su agenda para la semana que viene. Escucha y responde a estas preguntas:

1.- ¿Qué hace Raúl el lunes y el viernes a las seis de la tarde?
2.- ¿Cuándo tiene clase de guitarra?
3.- ¿Qué hace el miércoles a las 5 de la tarde?
4.- ¿Va el sábado al colegio?
5.- ¿Qué día come con los abuelos?

2. Esta agenda es de Raúl. Complétala.

Lunes
.... clase de kárate
Martes
19,30 clase de guitarra
Miércoles
.... clase de alemán

Jueves
19,30 clase de ....
Viernes
18,00 .... kárate
Sábado
mañana:
Domingo
comer con los abuelos

El lunes tiene clase de...

El sábado va al ...

El domingo come con...

ALEMÁN

3.  Escribe tu propia agenda para la semana que viene.

4. En parejas, hablamos sobre nuestras actividades de tiempo libre. Por ejemplo:

A: ¿Qué haces el lunes después de clase / a las seis de la tarde?
B: Tengo clase de kárate / guitarra.
Voy a casa de... / al cine / a ...
Salgo con los / las amigos/as.

5. ¿Qué horarios tienen estos establecimientos?
¿Dónde encontrarías estos carteles?

| 1 | 2 | 3 | 4 | 5 | 6 |

Banco   Restaurante   Parque de atracciones   Tienda   Cine   Discoteca "light" para menores

Lunes cerrado
Martes a Domingo:
de 14 a 16 horas
de 21 a 23 horas

De lunes a viernes
de 9,30 a 13,30 horas
Sábados: de 10 a 13

Pases diarios:
4,15 - 7 y 10
Sábados y domingos:
matinal 12 horas

Abierto de
jueves a domingo
y festivos:
de 19 a 22 horas

De lunes a viernes
de 8 a 14 horas

Todos los días
de 10 de la mañana
a
10 de la noche

En el barrio

 Eva vive en la Avenida del Este número 78. Este es el plano del barrio. Observa.

  Escuchamos y repetimos.

EVA, QUIERO COMPRAR UN CHICLE, ¿DÓNDE ESTÁ EL PUESTO DE GOLOSINAS?

ESTÁ EN LA CALLE DEL SUR, AL LADO DE LA IGLESIA.

¿Dónde está...?

Está al lado de...

Está enfrente de...

¡EN MARCHA!

1. 😊😊

Cada uno elige el plano A o B y pregunta al otro dónde
están las tiendas que no están en su plano.
Por ejemplo: **B** ¿Dónde está la panadería?
A Está enfrente del restaurante.

A

Iglesia

Panadería

Heladería

Cafetería

Supermercado

Tienda de deportes

Restaurante

Puesto de golosinas

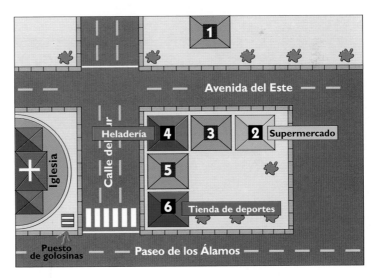

B

2. 😊😊

A dibuja un plano con dos o tres calles, marca dónde están las tiendas con
números y escribe aparte los nombres y los números de las tiendas.
B pregunta dónde está cada tienda.
A responde **sin señalar**.
B busca en el plano.

Proyecto 2
Los Trotamundos

¡A comer!

tarjetas de

bebidas

comidas

dinero

21 $

precios

De lunes a viernes
de 9,30 a 13,30
horas
Sábados: de 10 a 13

horarios

NECESITAMOS

| GRUPO A |
| Clientes |
| GRUPO B |
| Vendedores |
| Camareros |

Primer tiempo de juego: 15´

| GRUPO A |
| Vendedores |
| Camareros |
| GRUPO B |
| Clientes |

Segundo tiempo de juego: 15´

INFORMACIÓN

Cada
5 minutos

HAMBURGUESERÍA

¡A JUGAR! Tu profesor te dirá
cómo se juega

CANTAMOS Y BAILAMOS CON

Los Trotamundos

unidad 8

CANCIÓN 8

La semana

LUNES 14 mayo

MARTES 15 mayo

MIÉRCOLES 16 mayo

JUEVES 17

VIERNES 18

SÁBADO 19

DOMINGO 20 mayo

ESTRIBILLO

¡Qué buenos son todos los profesores!
¡Qué buenos son que nos dejan descansar!

Los lunes, los lunes, nos llevan al museo.
Los martes, los martes, salimos de paseo.
Los miércoles al cine, los miércoles al cine.
Los jueves y los viernes tenemos ¡10! recreos.

¿Y sábado y domingo?

El sábado y domingo no tenemos colegio.
El sábado y domingo no tenemos colegio.
Jugamos, jugamos, cantamos y bailamos
y cuando llega el lunes ¡qué cansados estamos!

ESTRIBILLO

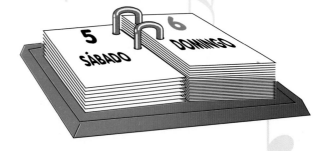

5 SÁBADO   6 DOMINGO

57

Instrucciones

  Observa, escucha y repite.

¡Siéntate!

¡Levántate!

¡Coge...!

¡Dame!

¡Salta!

1. Vamos a enseñar a Robín.
Observamos y luego repetimos por parejas.

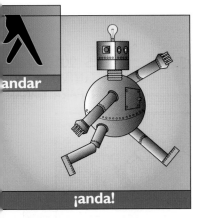

andar

¡anda!

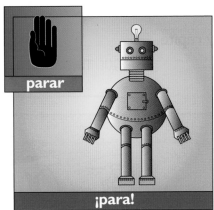

parar

¡para!

coger

¡coge el balón!

dar

¡dame el balón!

girar

¡gira a la izquierda!

dar

¡da la vuelta!

2.   **LOS TESOROS ESCONDIDOS**

¡Más difícil todavía! Con los ojos vendados un jugador tiene que encontrar los objetos sin chocarse con las mesas.

GIRA A LA IZQUIERDA.

ANDA.

COGE EL BALÓN.

PARA.

Los Trotamundos

¿Qué tengo que hacer?

 Escucha y repite.

¿QUÉ TENGO QUE HACER?

TIENES QUE DAR EN EL CENTRO DE LA DIANA PARA GANAR.

(Yo) tengo que...	(Nosotros) tenemos que...
(Tú) tienes que...	(Ustedes) tienen que...
(Él / ella) tiene que...	(Ellos / as) tienen que...

 Responde: ¿qué tiene que hacer Jaime?

1.  Observa.

ESA CUENTA NO ESTÁ BIEN.

Marta **tiene que** repetir la cuenta. No está bien.

 Asocia las frases a las viñetas y complétalas.

1

ESTOY MUY DELGADO.

ESTOY MUY CANSADO.

2

3

MAÑANA TENGO UN EXAMEN.

a Tengo que estudiar.

b Tengo que comer más.

c Tengo que beber.

2. Contesta a las preguntas de Luisa.

- ¿Qué tenemos que hacer Miguel y yo?
- ¿Qué tengo que hacer yo?
- ¿Qué tiene que hacer Miguel?
- ¿Qué tienen que hacer mis papás?
- ¿Qué tiene que hacer mi mamá?
- ¿Qué tiene que hacer mi papá?

Tareas de esta semana en casa de Luisa

		Yo	Miguel	papá	mamá
	Poner la lavadora			X	
	Lavar los platos		X		
	Planchar				X
	Hacer la compra	X		X	
	Limpiar la casa			X	X
	Hacer las camas	X	X		
	Poner la mesa	X	X		
	Hacer la comida			X	X

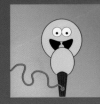

CANCIÓN 9

Macarena

1° **Extiende el brazo derecho** con la palma de la mano hacia abajo.

2° **Igual con el brazo izquierdo.**

3° Pon **la palma de la mano derecha** hacia arriba.

4° **Igual con la mano izquierda.**

5° Pon **la mano derecha** sobre **el brazo izquierdo.**

6° Pon **la mano izquierda** sobre **el brazo derecho.**

7° Pon **la mano derecha** sobre **la cabeza.**

8° **Igual con la mano izquierda.**

9° Pon **la mano derecha** en el **hombro izquierdo.**

10° Pon **la mano izquierda** en el **hombro derecho.**

11° Pon **la mano derecha** en la **cadera derecha.**

12° Pon la **mano izquierda** en **la cadera izquierda.**

13° **Muévete, salta** y ¡a empezar de nuevo!

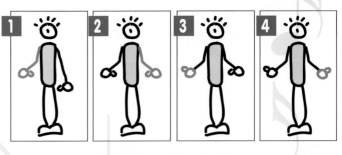

cabeza

hombro

palma

brazo

cadera

pierna

Dale a tu cuerpo alegría, Macarena,
que tu cuerpo es "pa" darle alegría y cosa buena.
Dale a tu cuerpo alegría, Macarena.
¡Eh, Macarena! ¡Aaay!

Macarena, Macarena, Macarena,
que te gustan los veranos de Marbella.
Macarena, Macarena, Macarena,
que te gusta la movida guerrillera.

Dale a tu cuerpo alegría, Macarena,
que tu cuerpo es "pa" darle alegría y cosa buena.
Dale a tu cuerpo alegría, Macarena.
¡Eh, Macarena! ¡Aaay!

ENVIARÉ UN MENSAJE A PALOMA AHORA MISMO.

Mensaje urgente
De Julia para Paloma
Asunto:
¡Paloma, mira! ¡Tengo las sandalias de Chamán! Llama a los demás y cuéntales la noticia. (Incluyo foto.)

¡BIEN! AHORA MISMO LLAMO A LOS DEMÁS.

martes **11** lunes domingo sábado **8**

UNOS DÍAS DESPUÉS...

Mensaje urgente
De Carlos para Paloma
Sé dónde está la corona de Chamán. Escucha. En Río vive un coleccionista de objetos de arte americano. Se llama Joao Vieira. En InfoRed hay una lista de tesoros americanos, con fotos. La colección de Vieira está en la lista. ¡Está la foto de la corona! Llama a Mauro enseguida.

MAURO, ESCUCHA...

RESIDENCIA VIEIRA

BUENAS TARDES, MAURO.

HOLA, SEÑOR. TENGO QUE CONTARLE UNA HISTORIA...

SR. VIEIRA, ESTA CORONA ES MUY IMPORTANTE. TIENE PODERES MÁGICOS. TIENE QUE CREERME... TIENE QUE DARME ESA CORONA, POR FAVOR.

BUENO, ESTÁ BIEN.

TEN, MAURO.

CONTINUARÁ...

63

Me gusta mucho

 Escucha y lee. Luego repite el diálogo con tu compañero.

A VER, ¿CÓMO TE LLAMAS?

ME LLAMO PILAR

PILAR, ¿TE GUSTA EL FÚTBOL?

¡SÍ!

¿TE GUSTAN LOS DEPORTES?

SÍ, ME GUSTAN MUCHO.

¿Y TE GUSTA EL BOXEO?

NO, EL BOXEO NO ME GUSTA.

Me gusta el fútbol.

Me gustan los deportes.

 **1.** En parejas, entrevista a tu compañero/a.
Haz preguntas sobre sus gustos, como éstas:

¿Te gusta ...   ... la música?
                ... este juego de ordenador?
                ... el ajedrez?

¿Te gustan ...   ... las hamburguesas?
                 ... los libros de ...?
                 ... los dinosaurios?

2.

Ana y Pedro nos escriben cartas, pero ¿de quién es cada carta?
Mira los dibujos y lee las cartas.

Me gusta mucho el tenis.
Juego todos los días.
También me gustan los
animales. Tengo un perro.
Se llama Rufo. No me
gusta la montaña. Me
gusta más la playa. La
música me gusta mucho.
Tengo todos los discos de
Los Golfos.

Me gusta mucho la naturaleza.
Voy al campo todos los domingos.
La playa no me gusta mucho.
También me gusta la fotografía.
Tengo una cámara muy buena.
Me gustan los sombreros. Tengo
una colección de veinticinco
sombreros y gorras.

3.

¿Te gusta Ana? ¿Te gusta Pedro?
¿Te gustan las mismas cosas que a Ana y a Pedro?
¿Qué cosas te gustan?

¿Y tú?, ¿qué puedes hacer?

Escucha y observa.

YO PUEDO NADAR. ¿Y TÚ?

YO NO PUEDO NADAR. ¡PERO PUEDO VOLAR!

 ¡EN MARCHA!

1.  En grupos, hablamos sobre nuestras habilidades y, si es posible, ¡las demostramos!

Por ejemplo: Yo puedo montar en bici sin manos.
Yo puedo escribir con los ojos cerrados.
Yo puedo escribir con las dos manos. Etc.

2. ¿Qué pueden hacer los animales? Marca con una equis (**x**) lo que pueden hacer, y explica qué pueden o no pueden hacer.

La serpiente no puede construir cosas, (pero) puede trepar a los árboles, y puede...

	el gorila	el búho	la serpiente	la cigüeña	el leopardo
Ver de noche					
Trepar a los árboles			X		
Nadar					
Construir cosas					

3.

En grupos, elegimos un animal y pensamos en todas las cosas que puede hacer. El grupo cuyo animal pueda hacer más cosas gana.

4.   **¡A CANTAR!**

 La cucaracha tiene un problema.
Cantamos y bailamos para ayudarla.

CANCIÓN 10

La cucaracha, la cucaracha
ya no puede caminar,
porque no tiene, porque le faltan
las dos patitas de atrás.

5. Escucha y lee.

Somos Aladino y el genio.

A (Aladino): dice lo que quiere.
B (El genio): dice si puede o no concederle cada deseo.

¡A JUGAR!

Viajamos por América

Estos amigos están de viaje.
Mira el mapa y descubre datos sobre cada uno.

Por equipos:

1. Memorizamos los datos de la página **69** durante cinco minutos. Después tendremos que preparar y contestar preguntas.

Por ejemplo:

> ¿Dónde vive Magdalena?
> ¿Dónde está ahora?
> ¿Qué le gusta?
> ¿Qué quiere ser de mayor?

2. Preparamos preguntas como las del ejemplo para los otros equipos.

	vive en ...	está en ...	le gusta ...	de mayor quiere ser...
Rubén				
Magdalena				
Álex				
Alicia				
Óscar				

¡A JUGAR!

como los Trotamundos

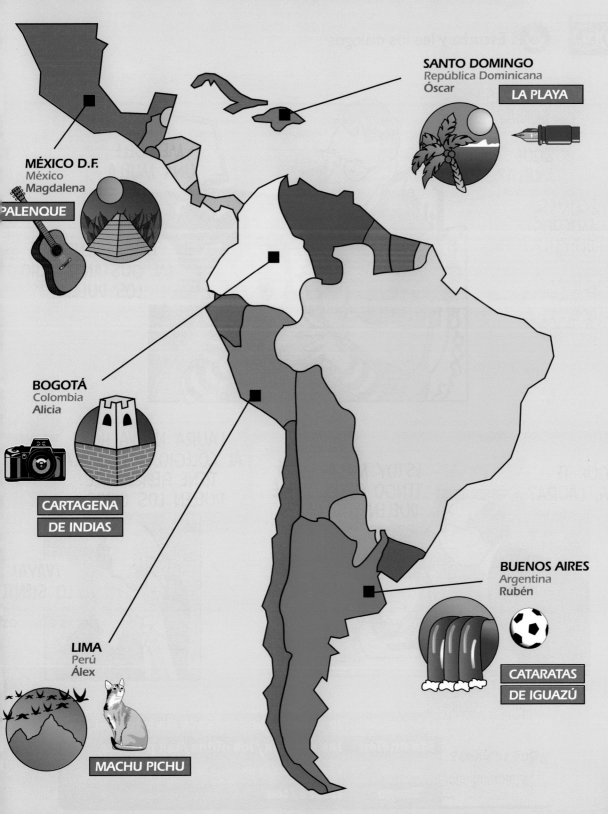

SANTO DOMINGO
República Dominicana
Óscar

LA PLAYA

MÉXICO D.F.
México
Magdalena

PALENQUE

BOGOTÁ
Colombia
Alicia

CARTAGENA
DE INDIAS

BUENOS AIRES
Argentina
Rubén

CATARATAS
DE IGUAZÚ

LIMA
Perú
Álex

MACHU PICHU

111 lección

¿Qué te pasa?

  Escucha y lee los diálogos.

¿Qué te pasa?	Me duele	la cabeza/la garganta/la tripa/el pie
	Me duelen	las muelas/los oídos/las piernas
	Estoy	resfriado/resfriada/malo/mala
	Tengo	fiebre/tos

Qué le pasa a...?	Le duele	la cabeza/la garganta/la tripa/el píe
	Le duelen	las muelas/los oídos/las piernas
	Está	resfriado/resfriada/malo/mala
	Tiene	fiebre/tos

- (A mí) me duele/duelen
- (A ti) te duele/duelen
- (A él/ella) le duele/duelen

 Ahora responde:

¿Qué le duele a Sonia?

¿Qué le pasa a Laura?

1.

A señala un punto de su cuerpo.

B dice que le duele esa parte.

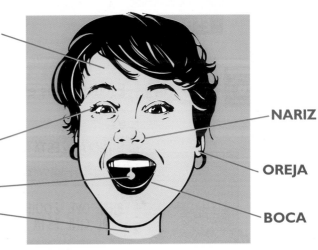

FRENTE

OJO

GARGANTA

CUELLO

NARIZ

OREJA

BOCA

2.

A es el médico, **B** es uno de los niños.

A elige un nombre y pregunta a **B** qué le pasa. **B** responde.

Por ejemplo:

A: ¿Qué te pasa, Carlos?

B: Me duelen las muelas.

PALOMA

CARLOS

JULIA

MAURO

3. Memoriza lo que les pasa a nuestros amigos Los Trotamundos, cierra el libro y contesta las preguntas del profesor/profesora.

¿Diga?

  Observa y escucha.

¿DIGA?

ESPAÑA

¿ALÓ?

CHILE

¿BUENO?

MÉXICO

  Escuchamos el diálogo y lo escribimos en orden.

1 ¡HOLA! ¿ESTÁ LUCÍA?

2 BIEN. OYE, ¿QUIERES VENIR AL CINE ESTA TARDE?

3 HOLA. SOY JAVIER.

4 LO SIENTO. ADIÓS.

a ¿DIGA?

b NO PUEDO, ME DUELE LA CABEZA.

c ¡AH, HOLA! ¿QUÉ TAL?

d SOY YO.

e GRACIAS. ADIÓS.

 Ahora repetimos el diálogo ordenado.

¡EN MARCHA!

1. EL JUEGO DEL TELÉFONO. ¿DÓNDE ESTÁN TUS AMIGOS?

● Escribe tu nombre en una tarjeta y en la pizarra.

ERIKA DANI IVÁN CARLA

● Juntamos todas las tarjetas y cogemos cada uno una tarjeta. Ese es nuestro nuevo nombre.

 Formamos grupos. Cada grupo es una casa.

Cada grupo prepara un cuadro como este.

NUEVOS NOMBRES	NOMBRES VERDADEROS DE LOS COMPAÑEROS			
	CASA 1	CASA 2	CASA 3	CASA 4
Ágata				
Ignacio				
Carla				
Pancho				
Erika			X Rosa	
Fred				

● Así se juega: Hay que "llamar" a las otras casas. Escucha.

Quique: ¡Riiinnn, riiinn!
Rosa: ¿Diga?
Quique: Por favor, ¿está Erika?
Rosa: Sí, soy yo.
Quique: Ya sé dónde está Erika.
Está en la casa 3 y es Rosa.

● Gana el grupo que rellena primero el cuadro.

El burro enfermo

CANCIÓN 11

A mi burro, a mi burro
le duele la cabeza
y el médico le pone
una gorrita negra.

una gorrita negra.

A mi burro, a mi burro
le duele la garganta
y el médico le pone
una bufanda blanca.

una gorrita negra,
una bufanda blanca.

A mi burro, a mi burro
le duelen las orejas
y el médico le manda
caramelos de fresa.

una gorrita negra,
una bufanda blanca,
caramelos de fresa.

A mi burro, a mi burro
le duele el corazón
y el médico le manda
jarabe de limón.

una gorrita negra,
una bufanda blanca,
caramelos de fresa,
jarabe de limón.

A mi burro, a mi burro
ya no le duele nada
y el médico le manda
jarabe de manzana.

una gorrita negra,
una bufanda blanca,
caramelos de fresa,
jarabe de limón,
jarabe de manzana.

SHAASSS

¡LA CORONA DE CHAMÁN!

¡PUEDO VER A PALOMA! ¡Y A JULIA! ¡ Y A CARLOS!

QUIERO HABLAR CON... ¡CHAMÁN!

HOLA, MAURO. TIENES MI CORONA. CON ELLA PUEDES VER Y OÍR A PERSONAS DE TODO EL MUNDO DESDE AQUÍ. Y JULIA CON LAS SANDALIAS PUEDE MOVERSE, IR A TODAS PARTES.

CHAMÁN, ¿CÓMO PUEDO ENCONTRAR TU BASTÓN Y TU ANILLO?

¡QUIERO VER EL BASTÓN DE CHAMÁN!

USA LA CORONA

VEO UNA MONTAÑA MUY ALTA...

VOY A LLAMAR A CARLOS

¡CARLOS, SÉ DÓNDE ESTÁ EL BASTÓN! TIENES QUE IR A RESCATARLO. ESCUCHA.

¡BIEN! DIME DÓNDE TENGO QUE IR.

¿Y EL ANILLO DE CHAMÁN?

¡LO TIENE EL MALVADO DOCTOR NANAY EN UNA PIRÁMIDE EN LA SELVA!

CONTINUARÁ...

75

¿Qué vas a hacer?

Lee y escucha.

¿QUÉ VAS A HACER EL PRÓXIMO FIN DE SEMANA?

NOSOTROS VAMOS A ESQUIAR A LOS PIRINEOS.

VOY A IR A LA PLAYA CON MI FAMILIA.

¡QUÉ SUERTE!

 Responde:

¿Qué va a hacer Eva el próximo fin de semana?
¿Y Antonio?

(Yo) voy		desayunar
(Tú) vas		ir al cine
(Él/ella) va	a	dormir
(Nosotros) vamos		comer
(Ellos/ellas) van		...

¡EN MARCHA!

1. Miramos las agendas y preguntamos a nuestro compañero va a hacer el fin de semana. Por ejemplo:

A: ¿Qué vas a hacer el viernes por la tarde?
B: El viernes por la tarde voy a clase de piano. ¿Y tú?
A: Yo voy a jugar al fútbol.

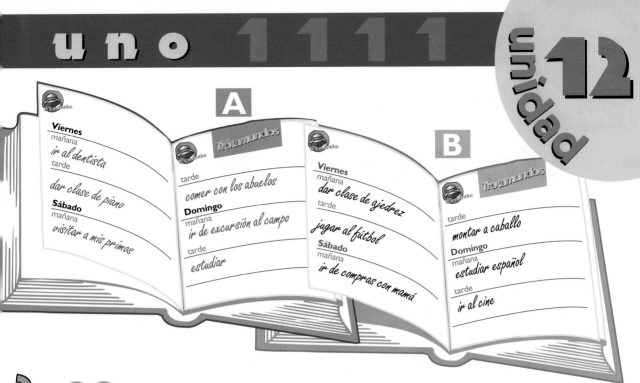

A

Trotamundos

Viernes
mañana
ir al dentista
tarde
dar clase de piano
Sábado
mañana
visitar a mis primas

tarde
comer con los abuelos
Domingo
mañana
ir de excursión al campo
tarde
estudiar

B

Trotamundos

Viernes
mañana
dar clase de ajedrez
tarde
jugar al fútbol
Sábado
mañana
ir de compras con mamá

tarde
montar a caballo
Domingo
mañana
estudiar español
tarde
ir al cine

2. Ahora hablamos de las cosas que vamos a hacer de verdad y luego contamos a la clase lo que va a hacer nuestro compañero.

Por ejemplo: El sábado por la mañana Clara va a jugar al tenis.

3. ¿Qué van a hacer estos amigos?

LUIS

MARÍA

JORGE

EVA

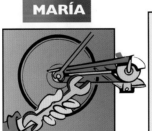

¿Quién....
a) ... va a pintar un cuadro?
b) ... va a bañarse?
c) ... va a patinar?
d) ... va a arreglar la bici?

4. Pablo está hablando con Victoria.
Escucha y rellena la agenda de Pablo.
Emplea las palabras del cuadro.

Trotamundos

Viernes 18
mañana

tarde

Sábado 19
mañana

tarde

Domingo 20
mañana

tarde

- SÁBADO 19
- MAÑANA
- TARDE
- DOMINGO 20

- patinar
- montar en bicicleta
- ir de compras
- fiesta de cumpleaños

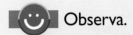

Los meses del año

Observa.

ENERO
31 días

FEBRERO
28 días

MARZO
31 días

ABRIL
30 días

MAYO
31 días

JUNIO
30 días

JULIO
31 días

AGOSTO
31 días

SEPTIEMBRE
30 días

OCTUBRE
31 días

NOVIEMBRE
30 días

DICIEMBRE
31 días

El uno de enero
El treinta y uno de diciembre

1.   Escucha y aprende de memoria.

Treinta días tiene septiembre,
con abril, junio y noviembre,
veintiocho tiene uno
y los demás treinta y uno

Responde. ¿Cuáles son los meses que tienen treinta y un días?

2.   **¡A CANTAR!** CANCIÓN 12

Vamos a ir a las fiestas de San Fermín y tenemos
que aprender la canción de los Sanfermines.

julio 7

Uno de enero, dos de febrero,
tres de marzo, cuatro de abril,
cinco de mayo, seis de junio,
siete de julio, San Fermín.
A Pamplona voy a ir con una media , con una media.
A Pamplona voy a ir con una media y un calcetín.

PAMPLONA

3. Escucha, lee y responde.

diciembre
25

diciembre
28

El día de Navidad es el veinticinco de diciembre. El veintiocho de diciembre
es el "Día de los Inocentes" y la gente gasta bromas.
¿Qué día gastan bromas en tu país?

4.   Escuchamos y repetimos el diálogo.

28/02
11

¿CUÁNDO ES TU CUMPLEAÑOS?

¿CUÁNTOS AÑOS VAS A CUMPLIR?

MI CUMPLEAÑOS ES EL 28 DE FEBRERO.

VOY A CUMPLIR ONCE AÑOS.

5.

En grupos: decimos cuándo es nuestro cumpleaños y
apuntamos las fechas de los cumpleaños de los amigos.

CON LOS

Julia cumple años y tenemos una fiesta...

... y cantamos... # Cumpleaños feliz

CANCIÓN 13

 ¡Cumpleaños feliz!
¡Cumpleaños feliz!
Todos te deseamos
¡cumpleaños feliz!

Trotamundos

CANCIÓN 14

... y bailamos... **La Bamba**

 Para bailar la bamba,
para bailar la bamba
se necesita
un poquito de gracia.

 Un poquito de gracia...
y otra cosita.
Allá arriba, allá arriba.

 Yo no soy marinero.
Soy capitán,
soy capitán, soy capitán.

CON ESTE ANILLO VOY A SER EL HOMBRE MÁS PODEROSO DEL MUNDO.

TODOS TIENEN QUE OBEDECER MIS ÓRDENES

JULIA, CARLOS TE ESPERA. TIENE EL BASTÓN. CON ÉL PUEDE ABRIR TODAS LAS PUERTAS. BÚSCALO.

¡QUIERO IR A MACHU PICHU

¡VAMOS A BUSCAR A MAURO!

¡PALOMA, ALLÁ VAMOS!

BR R

PALOMA VUELA HACIA CENTROAMÉRICA PARA REUNIRSE CON SUS AMIGOS

¡AMIGOS, YA ESTAMOS TODOS! JULIA, LLÉVANOS A LA PIRÁMIDE DE NANAY.

EN EL AEROPUERTO

DOS HORAS DESPUÉS

EL DOCTOR NANAY TIENE EL ANILLO. ESTÁ AHÍ DENTRO.

PERO NANAY TIENE GUARDIAS. ESTÁN HIPNOTIZADOS. ¿CÓMO PODEMOS ENTRAR?

CON EL BASTÓN PUEDO ABRIR TODAS LAS PUERTAS.

INTÉNTALO.

¡POR EL PODER DE CHAMÁN! QUEREMOS ENTRAR.

FIN

ENTRADA

SALIDA

¿Te gusta el fútbol?

☐ Sí, me gustan mucho

☐ Sí, me gusta mucho

1

Puedes pedir un deseo

☐ Puedo ser alto y guapo/a

☐ Quiero ser alto y guapo/a

2

¿Qué quieres ser de mayor?

☐ Teléfono

☐ Médico

3

¿Quieres venir a merendar?

☐ Sí, no puedo

☐ Sí, vale

4

Este es el divertido Juego de la Pirámide

Es muy fácil entrar, pero tal vez... no puedas salir

La cadera está al lado de...

9

- ☐ Los brazos
- ☐ Las piernas

...mbra es un ...árabe. ...

- ☐ Granada
- ☐ Sevilla

¿Cómo se baila este baile?

8

- ☐ Poner el hombro en la cabeza
- ☐ Pon la mano en el hombro

¿Qué te pasa?

5

- ☐ Estoy fiebre
- ☐ Me duele la tripa

¿Cuándo es tu cumpleaños?

7

- ☐ No, no tengo
- ☐ El cinco de enero

¿Qué vas a hacer mañana?

6

- ☐ Voy a mi casa
- ☐ Voy a ir al cine

EL JUEGO DE LA SERPIENTE 1

META

22

¿Cuánto cuesta un refresco en tu país?

20

¿A qué hora empiezas el colegio?

19

VUELVE A LA SALIDA

18

dados

NECESITAMOS

Tu profesor te di... cómo se jueg...

¿Comes en casa o en el colegio?

¿Quieres un bocadillo de queso o de jamón?

21

¿Qué hora es?

17

16

¿Vives en una casa o en un piso?

¿Cuál es tu dirección?

11

¿Cómo es Don Quijote?

¿Qué es tu padre?

13

TIRA OTRA VEZ

14

¿De qué color es la bandera de tu país?

15

12

RETROCEDE 3

10

5

AVANZA 4

4

¿Cuántos años tiene tu madre?

¿Cuál es tu número de teléfono?

Cuenta del 1 al 20

9

¿De dónde es Carlos?

2

¿De dónde es tu profesor?

3

6

Nombra tres objetos de la clase

1

¿Cómo se llama tu compañero?

SALIDA

8

¿Cuántas ventanas tiene la clase?

7

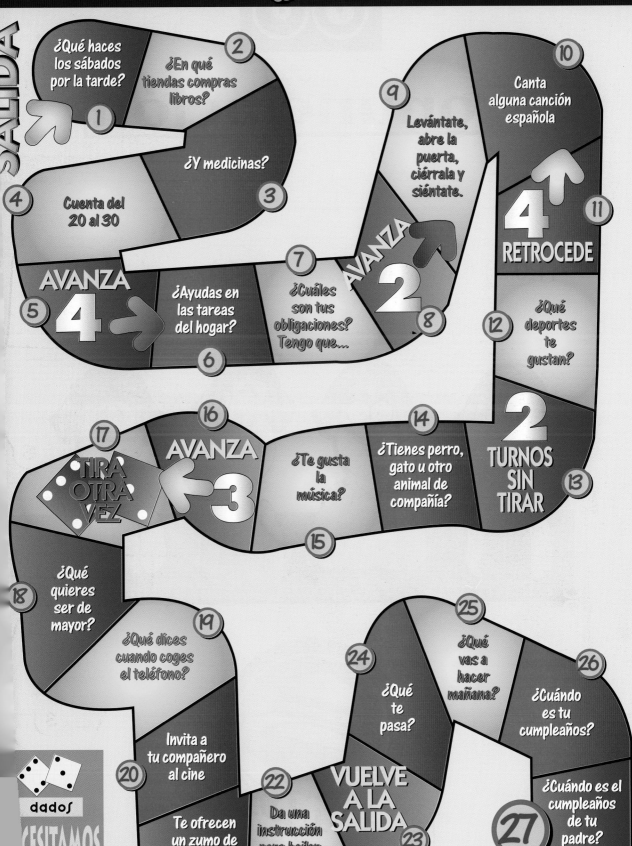

Pronunciación

Pronunciación

- **Los acentos (Unidad 1)**
  - *Escucha y repite. Fíjate en los acentos.*
  Japón • México • América • ¿dónde?
  - *Pronuncia estas palabras:*

Perú	días
país	cómo

- **La "ñ" (Unidad 2)**
  - Fíjate en esta letra, es la "ñ" ("eñe").
  - *Escucha y repite.*

España	niña
años	compañero

- **La "h" (Unidad 3)**
  - La "h" ("hache") no se pronuncia.
  - *Escucha y repite.*

hermana	helado	historia
Alhambra	huevo	cohete

- **La "che" (Unidad 4)**
  - La "ch" ("che")
  - *Escucha y repite.*

Chile	escucha	Chamán
Sánchez	ocho	muchas

- **La "b" y la "v" (Unidad 5)**
  - En español la "b" ("be") y la "v" ("uve") se pronuncian igual.
  - *Escucha y repite.*

    - ¿Vives en Valencia?
    - No, vivo en Barcelona. ¿Y tú?
    - Yo vivo en Barranquilla.

  - Estas palabras suenan igual.
  - *Escucha y repite.*

votar	(Votamos en una urna.)
botar	(Una pelota bota.)
vaca	(La vaca da leche.)
baca	La bicicleta está en la baca del coche.)

- **Los acentos en los verbos (Unidad 6)**
  - *Escucha y repite. Fíjate en los acentos.*

levantarse ... me levanto	cenar ... cenas
acostarse ... te acuestas	volver ... vuelvo
desayunar ... desayuna	

- **La "ll" (Unidad 7)**
  - La "ll" ("elle")
  - *Escucha y repite.*

bocadillo	Sevilla	paella
zapatilla	amarillo	llaves

  - *Aprende este trabalenguas:*

    "La lluvia en Sevilla es una maravilla"

  - *Escucha y di cuál de las dos palabras oyes:*

	A	B
1.	polo	pollo
2.	bala	valla
3.	mala	malla

- **La "r" (Unidad 8)**
  - ¡Erre que erre con la "r" ("erre")!
  - *Escucha y repite.*

kárate	barrer
guitarra	viernes

  - *Escucha y coloca las palabras en la columna correspondiente.*

    vampiro • hora • levantarse • repite
    volver • terraza • reloj • Javier

    Suena igual que en:

kárate	guitarra	viernes

- ● **La "j" (Unidad 9)**
  - La "j" ("jota") siempre se pronuncia igual.
  - *Escucha y repite.*

Javier	José	Jiménez
Jesús	Juan	jugar

  - *Pero*

México	mexicano	mexicana

  - Aquí la "x" ("equis") suena como "jota", pero en muchas palabras suena como en *"taxi"*.

- ● **La "g" y la "j" (Unidad 10)**
  La "g" ("ge") a veces suena como la "j" ("jota").
  - *Escucha y repite.*

girar	coge	mágico

  - Pero otras veces suena así.
  - *Escucha y repite.*

hamburguesa	Santiago
guitarra	Paraguay

  - La "g" seguida de "e" o de "i" es distinta de cuando va seguida de "a", "o" y "u".
  - *Escucha y fíjate.*

ge = je	gi = ji

  - *Pero*

ga	gue	gui	go	gu

  - *Pronuncia estas palabras. No importa si no las sabes:*

guerra	Jiménez
gato	Giménez
página	

  - *Ahora escucha y comprueba.*

- ● **La "z" (Unidad 11)**
  - La "z" ("zeta")
  - *Escucha y repite.*

zapato	zumo
zoo	izquierda

  - Muchos hablantes de español pronuncian la "z" como la "s".

- ● **La "q" (Unidad 12)**
  - Esta letra se llama "cu". Siempre va seguida de "ue" o de "ui", pero la "u" no suena.
  - *Escucha y repite.*

¿qué?	quince
¿quién?	querer

- ● **La "c", la "z" y la "q"**
  - La "c" suena unas veces como la "z" y otras veces como la "q".
  - Fíjate cómo suena la "c" con las cinco vocales:
  - *Escucha y repite.*

catorce	cinco	cuatro

  - Con "a", "o" y "u", suena como la "q":

casa	coco	¿cuándo?

  - Con "e" o "i", suena como la "zeta":

cero	cine

  - Fíjate:

ca	que	qui	co	cu
za	ce	ci	zo	zu

  - *Pronuncia estas palabras, no importa s las conoces.*

paz	cómic
cuál	izquierda

  - *Escucha y escribe las palabras que oye*
  - ¿Te acuerdas de que muchos hablar pronuncian la "z" igual que la "s"? Lo mismo pasa con la "c" seguida de "e" o "i".

Aprendemos a distinguir

Escucha y di qué palabras oyes, las de A o las de B. No importa si no conoces alguna palabra.

A	B
eres	erres
ocho	ojo
roja	roca
cana	caña
caro	carro
muchas	musas
mía	milla

Estas palabras no llevan tilde (´). Señala qué sílaba está acentuada subrayándola.

noticia	ocho	patinar	periodista	profesor
tesoro	veterinaria	viaje	artista	boxeo
cereal	feliz	garganta	cartel	tarea

A estas palabras les falta la tilde (´). Escucha y escríbelas con la tilde en la vocal correspondiente.

semaforo	limon	video	lapiz	teneis	guia
miercoles	papa	cafeteria	piramide	alegria	silaba

Escucha y clasifica estas palabras por la pronunciación de la "c".
¿En qué palabras suena la "c" como en...

...casa?   ...cenar?

cola	cuello	cine	disco
dieciséis	inocente	cantar	cereal

Haz lo mismo con la "g". ¿En qué palabras suena la "g" como en...

...gato?   ...girar?

colegio	jaguar	mágico
guitarra	gracias	genio

 # Diccionario

Al acabar "Los Trotamundos" 1 conoces muchas palabras en español.
¿Cómo se dicen en tu lengua?

Unidad 0

Los símbolos: ⎯⎯⎯
canta - cantar ⎯⎯⎯
cinta (la) ⎯⎯⎯
en grupo ⎯⎯⎯
en marcha ⎯⎯⎯
en parejas ⎯⎯⎯
escucha - escuchar ⎯⎯⎯
español/a ⎯⎯⎯
habla - hablar ⎯⎯⎯
lee - leer ⎯⎯⎯
mira - mirar ⎯⎯⎯
vídeo (el) ⎯⎯⎯

Unidad 1

día (el) ⎯⎯⎯
eres - ser ⎯⎯⎯
hola ⎯⎯⎯
llamarse ⎯⎯⎯
noche (la) ⎯⎯⎯
tarde (la) ⎯⎯⎯

Unidad 2

alumno/a (el, la) ⎯⎯⎯
bolígrafo (boli) (el) ⎯⎯⎯
chicos/as (los, las) ⎯⎯⎯
clase (la) ⎯⎯⎯
cuál ⎯⎯⎯
cuántos/as ⎯⎯⎯
está bien ⎯⎯⎯
goma (la) ⎯⎯⎯
juego (el) ⎯⎯⎯
lápiz (el) ⎯⎯⎯
libro (el) ⎯⎯⎯
limón (el) ⎯⎯⎯
mapa (el) ⎯⎯⎯
medio/a ⎯⎯⎯
mesa (la) ⎯⎯⎯
muchos/as ⎯⎯⎯
pizarra (la) ⎯⎯⎯
planta (la) ⎯⎯⎯
profesor/-a (el, la) ⎯⎯⎯
reloj (el) ⎯⎯⎯

silla (la) ⎯⎯⎯
tebeo (el) ⎯⎯⎯
teléfono (el) ⎯⎯⎯
tengo - tener ⎯⎯⎯
vale ⎯⎯⎯
ventana (la) ⎯⎯⎯

Unidad 3

alto/a ⎯⎯⎯
anillo (el) ⎯⎯⎯
bajo/a ⎯⎯⎯
bastón (el) ⎯⎯⎯
corona (la) ⎯⎯⎯
delgado/a ⎯⎯⎯
describe - describir ⎯⎯⎯
este/a ⎯⎯⎯
familia (la) ⎯⎯⎯
gordo/a ⎯⎯⎯
guardar ⎯⎯⎯
hermano/a (el, la) ⎯⎯⎯
madre (la) ⎯⎯⎯
mágico/a ⎯⎯⎯
moreno/a ⎯⎯⎯
objeto (el) ⎯⎯⎯
padre (el) ⎯⎯⎯
peruano/a ⎯⎯⎯
poderoso/a ⎯⎯⎯
rubio/a ⎯⎯⎯
sandalia (la) ⎯⎯⎯
tesoro (el) ⎯⎯⎯
uruguayo/a ⎯⎯⎯

Unidad 4

abogado/a (el, la) ⎯⎯⎯
actor/actriz (el, la) ⎯⎯⎯
amo/a de casa (el, la) ⎯⎯⎯
amarillo/a ⎯⎯⎯
artista (el,la) ⎯⎯⎯
azul ⎯⎯⎯
banco (el) ⎯⎯⎯
bandera (la) ⎯⎯⎯
blanco/a ⎯⎯⎯
camionero/a (el, la) ⎯⎯⎯
camiseta (la) ⎯⎯⎯

ntante (el, la) ⬚

ocolate (el) ⬚

turero/a ⬚

portista (el, la) ⬚

ective (el, la) ⬚

ctor/-a (el, la) ⬚

pleado/a (el, la) ⬚

sa (la) ⬚

o/a (el, la) ⬚

s ⬚

ador/a (el, la) ⬚

rrón ⬚

dico/a (el, la) ⬚

ranja (adj.) ⬚

gro/a ⬚

cio (el) ⬚

ntalón (el) ⬚

uquero/a (el, la) ⬚

iodista (el, la) ⬚

sonaje (el) ⬚

licía (el, la) ⬚

ferido/a ⬚

o/a ⬚

erinario/a (el, la) ⬚

nidad 5

ondo ⬚

ado ⬚

nario (el) ⬚

le (la) ⬚

mbiar ⬚

a (la) ⬚

cina (la) ⬚

arto de baño (el) ⬚

nta conmigo ⬚

ante ⬚

echa ⬚

rás ⬚

ección (la) ⬚

contrar ⬚

re ⬚

tarra (la) ⬚

bitación (la) ⬚

uierda ⬚

mpara (la) ⬚

abo (el) ⬚

nsaje (el) ⬚

cesitar ⬚

vera (la) ⬚

no (el) ⬚

ón (el) ⬚

ón (el) ⬚

o/a ⬚

visión (la) ⬚

terraza (la) ⬚

urgente ⬚

vivir ⬚

Unidad 6

acostarse ⬚

año (el) ⬚

baloncesto (el) ⬚

cenar ⬚

ciclismo (el) ⬚

comer ⬚

cuarto de hora ⬚

desayunar ⬚

feliz ⬚

fútbol (el) ⬚

hora (la) ⬚

ir ⬚

levantarse ⬚

media hora ⬚

nuevo/a ⬚

tenis (el) ⬚

ver ⬚

vida (la) ⬚

volver ⬚

Unidad 7

agua (el) ⬚

anís (el) ⬚

antiguo/a ⬚

aquí tiene ⬚

bien ⬚

bocadillo (el) ⬚

botella (la) ⬚

bueno/a ⬚

cafetería (la) ⬚

cereal (el) ⬚

chocolatina (la) ⬚

cola (la) ⬚

comida (la) ⬚

con ⬚

concursante (el, la) ⬚

desayuno (el) ⬚

dulce (el) ⬚

exacto/a ⬚

golosina (la) ⬚

gracias ⬚

hambre (el) ⬚

hamburguesa (la) ⬚

heladería (la) ⬚

helado (el) ⬚

inscripción (la) ⬚

jaguar (el) ⬚

jamón (el) ⬚

mal (adv.)

muy

naranja (la)

naranjada (la)

paquete (el)

perrito caliente (el)

peso (moneda) (el)

por favor

precio (el)

puesto (el)

querer

queso (el

rápido/a

refresco (el)

robar

sed (la)

supermercado (el)

turrón (el)

vaso (el)

Unidad 8

los días de la semana:

lunes (el)

martes (el)

miércoles (el)

jueves (el)

viernes (el)

sábado (el)

domingo (el)

abuelo/a (el, la)

agenda (la)

avenida (la)

camarero/a (el, la)

cansado/a

cartel (el)

cerrado/a

cine (el)

cliente/a (el, la)

colegio (el)

completar

comprar

enfrente

establecimiento (el)

festivo/a

horario (el)

iglesia (la)

museo (el)

panadería (la)

paseo (el)

recreo (el)

restaurante (el)

salgo - salir

tienda (la)

vendedor/a (el, la)

Unidad 9

abajo

ahora mismo

alegría (la)

anda - andar

arriba

arte (el)

brazo (el)

cabeza (la)

cadera (la)

cama (la)

centro (el)

coge - coger

coleccionista (el, la)

compra (la)

cuenta - contar

dame - dar

date la vuelta

de nuevo

enseguida

estudiar

extiende - extender

flaco/a

foto (la)

ganar

gira - girar

hacer

historia (la)

hombro (el)

lavadora (la)

lavar

limpiar

lista (la)

mamá (la)

mano (la)

mañana (adv.)

movida (la)

muévete - moverse

noticia (la)

palma (de la mano)(la)

papá (el)

para - parar(se)

pierna (la)

planchar

plato (el)

poder (el)

repetir

salta - saltar

sé - saber

siéntate - sentarse

tarea (la)

ten - tener

verano (el)

Unidad 10

ajedrez (el) —————
animal (el) —————
árbol (el) —————
boxeo (el) —————
búho (el) —————
cámara (la) —————
campo (el) —————
carta (la) —————
cigüeña (la) —————
colección (la) —————
construir —————
cucaracha (la) —————
de mayor —————
deporte (el) —————
deseo (el) —————
dinosaurio (el) —————
disco (el) —————
entrevista (la) —————
escribir —————
saltar —————
fotografía (la) —————
genio (el, la) —————
gorila (el) —————
gorra (la) —————
gustar —————
leopardo (el) —————
montaña (la) —————
montar —————
música —————
nadar —————
naturaleza (la) —————
ordenador (el) —————
patita - pata (la) —————
perro/a (el, la) —————
playa (la) —————
príncipe (el) —————
serpiente (la) —————
sombrero (el) —————
trampa (la) —————
traje (el) —————
volar —————
¿qué más? —————

Unidad 11

boca (la) —————
bufanda (la) —————
caramelo (el) —————
cuello (el) —————
¿traga? —————
duele - doler —————
fiebre (la) —————
frente (la) —————

garganta (la) —————
jarabe (el) —————
lo siento —————
malo/a = (enfermo/a) —————
malvado/a —————
muela (la) —————
nariz (la) —————
oído (el) —————
ojo (el) —————
pie (el) —————
¿qué tal? —————
resfriado (el) —————
tos (la) —————
tripa (la) —————

Unidad 12

los meses del año: —————
enero —————
febrero —————
marzo —————
abril —————
mayo —————
junio —————
julio —————
agosto —————
septiembre —————
octubre —————
noviembre —————
diciembre —————
arreglar —————
bañarse —————
broma (la) —————
caballo (el) —————
caerse —————
calcetín (el) —————
cuadro (el) —————
cumpleaños (el) —————
cumplir (años) —————
dentista (el, la) —————
Día de los Inocentes —————
esquiar —————
excursión (la) —————
fiesta (la) —————
fin de semana (el) —————
ir de compras —————
marinero/a —————
media (la) —————
patinar —————
piano (el) —————
pintar —————
poquito - poco —————
próximo/a —————
suerte (la) —————